YESTERDAY Y MAÑANA

MARIO BENEDETTI

YESTERDAY Y MAÑANA

EDITORIAL SUDAMERICANA
BUENOS AIRES

PRIMERA EDICIÓN POCKET
Octubre de 2000

IMPRESO EN ESPAÑA

*Queda hecho el depósito
que previene la ley 11.723.
© 2000, Editorial Sudamericana S.A. ®
Humberto I° 531, Buenos Aires.*

ISBN 950-07-1837-5

© 1987, Mario Benedetti

TODO EL TIEMPO

...les dejo el
tiempo, todo el tiempo

ELISEO DIEGO

POSIBLES

A lo peor nadie me atiende
nadie recibe los mensajes
nadie se alegra nadie llora
nadie enciende su sangre
con estos versos que se rompen
en los papeles
y en el aire

a lo mejor alguna alguno
en un insomnio titubeante
halla que dos o tres palabras
le entregan algo de alguien
desde estos versos que se rompen
en los papeles
y en el aire

a lo mejor
quién sabe

ETCÉTERA

Mis versos grises son maniobras
para encontrarme sin escándalo
para extraer
de lo que he sido
de esos escombros que comprendo
de esa tristeza en compañía
un vaticinio sin soberbia

mis versos grises son preguntas
tiros al aire
contraolvidos
bordes de historia que son huesos
besos de lluvia y poco oficio
insomnios cuerdos como nunca

ah pero afortunadamente
mis versos no son siempre grises
los hay azules verdes rojos
etcétera

BORRAR EL SUEÑO

Le temo al sueño
que me da en torbellino la certeza
el cáliz donde urdo lo imposible
y corro me deslizo salto vuelo
en pos de lo que apenas se vislumbra

quiero borrar el sueño
en que obtengo la gracia insuficiente
la transparencia inútil o bastarda
el veto a cualquier duda
el azar amarrado

le temo al sueño
como al albatros que no he visto
al sol que no caldea
a la lluvia que encoge los recelos
al goce que no cesa

quiero borrar el sueño
que descorteza el estupor y el pino
que a mi pesar confirma al que no soy
que ama cuerpos que no son presagios
y se entrega rehén cuando amanece

DESGANA

No tengo ganas de escribir
pero la letra avanza sola
forma palabras y relevos
que reconozco como míos

    en la ventana llueve
    tantas veces la calle
    brilló sin fundamento

no tengo ganas de escribir
por eso queda el tiempo en blanco
y no es un blanco de inocencia
ni de palomas ni de gracia

    en la ventana llueve
    tantas veces la calle
    se anegó de presagios

no tengo ganas de escribir
pero la lluvia llueve sola

FRAGMENTO

Este trozo de vida es tan espléndido
tan animoso tan templado
que la muerte parece desde aquí
tan sólo una cascada
remota y para otros

¿quién no ha buscado el placer nítido?
¿quién no ha intentado organizar
un desenlace sin escombros?

la memoria repasa sus noticias de sol
la sonrisa que era un exorcismo
la chispa trágica en el firmamento
las huellas descubiertas en la hora precisa

todo adquiere un sentido turbador
en el umbral inexpugnable
en la crisálida del odio

no obstante este fragmento
probablemente es un islote
llevado a rastras por presagios
desalientos condenas

y aunque parezca absurdo
la muerte todavía
parece desde aquí
tan sólo una cascada
remota y para otros

INTEMPERIE

Llega un confín un día
en que al caer de espaldas o de bruces
sientes que nada o casi nada media
entre tu corazón y el de las aves

los árboles encima como techo
un archipiélago de azul y azules
la brisa suave y tolerante roza
las dos cartujas de tu soledad

el abstracto horizonte no se ve
oculto por concretos promontorios
y sin embargo existe allá y aguarda
que el sol se hunda en su línea recta

y mientras tanto el aire verde y húmedo
penetra en tu provincia de silencio
y así te integras / uno más / o menos
en la hidalga misión de los insectos

SÍMBOLOS Y SEÑAS

La vida está entreabierta
de modo que penetran
los símbolos y señas

hay que aventar lo inútil
y es tan poco

ENTRESUEÑOS

Pero todo se muda se borra si despierto

JUAN CUNHA

¿Y si no fueran las sombras
sombras?

PEDRO SALINAS

TORMENTA

Un perro ladra en la tormenta
y su aullido me alcanza entre relámpagos
y al son de los postigos en la lluvia

yo sé lo que convoca noche adentro
esa clamante voz en la casona
tal vez deshabitada

dice sumariamente el desconcierto
la soledad sin vueltas
un miedo irracional que no se aviene
a enmudecer en paz

y tanto lo comprendo
a oscuras / sin mi sombra
incrustado en mi pánico
pobre anfitrión sin huéspedes

que me pongo a ladrar en la tormenta

SIRENA

Tengo la convicción de que no existes
y sin embargo te oigo cada noche

te invento a veces con mi vanidad
o mi desolación o mi modorra

del infinito mar viene tu asombro
lo escucho como un salmo y pese a todo

tan convencido estoy de que no existes
que te guardo en mi sueño para luego

ESQUELETO Y SAUDADE

Antes de confirmarse en la laguna
cruza la pierna el esqueleto
y se encuentra gallardo livianísimo

mira la quebradura del astrágalo
y se quita del pubis
una última hebra de algodón

qué insufrible es la vida
ahora ya no tiene por qué decir adiós
ni albricias ni amor mío

qué incómoda es la piel
cuando se vuelve arruga
y extravía el disfrute

y sin embargo cuando llueve
y está naturalmente
calado hasta los huesos

le sobrecoge una violenta
saudade
        de vivir

FANTASMAS

Aunque parezca extraño
a los fantasmas
nos hace mal
la noche

nos desalienta
nos encoge
nos cuelga una etiqueta
nos quita los prodigios
nos consume hasta el borde
nos moja en el rocío
nos caza en un bostezo

nos hace mal
la noche
a los fantasmas

confundimos el sur
con el oeste
el este con el norte
la muerte con la vida
y hasta nos vienen ganas
de conseguir un cuerpo
o preferiblemente
dos

realmente hay que ser fuertes
para vencer las dulces tentaciones

hasta que estalla y viene
el alba en nuestro auxilio
y nos vamos
nos vamos

en pos del sol nos vamos
transparentes
sin ansias
transidamente a salvo

QUIMERA

¡Oh recuerdo, sé yo!

JUAN RAMÓN JIMÉNEZ

¿Por qué aquel miedo recurrente
infinito / nocturno
cuando volvía niño bordeando los árboles
nada frondosos / pusilánimes
entre un acorde de ladridos?

¿por qué las luces de la casa
quedaban tan remotas
y sentía en la nuca
aquel aliento inmundo
de Eso que me pisaba los talones?

¿por qué aquel pánico que me impedía
junto al mutismo de los álamos
vencer el sortilegio
y verle el rostro a la verdad
que los perros husmeaban?

ahora que los miedos son distintos
y la noche no asusta
y me sé frágil y eso me hace fuerte
sé yo / recuerdo / para darme vuelta
y enfrentar al fantasma de la nada

DESVELOS

Si en la ventana abierta
pasa la noche celadora
yo vigilo las sombras
y los humos del miedo

no hay oración del desengaño
no hay alma en pie de guerra
sólo la patria de la noche
moviéndose prudente
en mis ojos abiertos

en el enjambre de callados
pongo mis sílabas de siempre
las corroboro mientras cuento
o mejor imagino
los álamos que tiemblan

una penumbra sin alarmas
y en este caso sin estrellas
un pobre orgullo de estar vivo
tan sólo eso es el desvelo

y sin embargo no quisiera
dormirme así indefenso
en esta suerte descampada

por lo menos aquí tengo la noche
sombras y humos del miedo
pero en cambio no sé
qué vigilia soñada
qué vigilia mendaz
bajo los párpados
                    me espera

EL SILENCIO

Hace unos veinte o veinticinco años
los suicidas buscaban el silencio
aturdidos buscaban la infinita
protección del silencio

pero éste ya no existe

antes había franjas de mutismo
y los fantasmas de alcohol
eran curtidos y lacónicos

ahora sólo comparecen
las quimeras aullantes
los endriagos de trueno

hasta el eco es un monstruo
de gorgoteantes decibeles

los viejos cuentan cómo era
allá en sus buenos tiempos
el compacto silencio de las noches

pero nadie les cree
nadie probablemente los escucha
porque en ese momento pasa el jet

los viejos narran que, en la sombra quieta
sólo el grillo trozaba aquel silencio
y cuando enmudecía
la oscuridad era de nuevo azul

los viejos cuentan
pero nadie escucha
porque en ese momento estalla el rock

ahora
en esta noche
el silencio no existe
está sellado
por el escándalo del mundo

se acabó la quietud la paz votiva
el ciclo es de morteros y timbales
ábsides y guaridas clamorean
el silencio no existe
ni aquí ni más allá

los datos son del último suicida
que regresó menguado y sin aliento
"el resto no es silencio" dijo
y no quiso dar más explicaciones

DOCENCIA

La muerte va al encuentro de la infancia
la prepara la educa la adoctrina
le enseña tantas fábulas
como hilachas da el magma del azar

la lleva ante el espejo catequista
para que él la transforme
de ufana en taciturna

la muerte va al encuentro de la infancia
y cuando al fin la forma
la alienta la organiza
la pule le da un rumbo

la infancia va al encuentro de la muerte

CORREDORES DE FONDO

Sabido es que los habitantes del otoño
criaturas poderosas e insignificantes
no tienen el derecho de quitarse la muerte
apenas si lo tienen de quitarse la vida

por andar distraídos en desvelos o amores
no usan habitualmente ese atributo

en verdad sólo ocurre de tarde en tarde
y ocasionalmente de noche en noche
que alguien haga un arqueo
de sus melancolías
de sus grumos de angustia
de la confianza que sin proponérselo
como el cántaro
tanto va a la fuente

sólo entonces emplea ese frugal derecho
ese minúsculo raído patrimonio
que nadie puede ni podrá arrebatarle

hay suicidas de susto tembloroso
o de vergüenza endémica
pero los hay intrépidos que aguantan
las descargas del odio y otras ráfagas
y sin embargo no logran vadear
el charquito del desencanto

después de todo
quién puede saber cuándo la vida
empieza a enamorarse de la muerte
quién osaría
decir cuándo comienza
la dulce seducción

quién se atreve a juzgar
a estos curtidos
corredores de fondo
que pierden el aliento
a sólo diez segundos de la meta

quién podría impedirles que se lleven
como un simple amuleto
el inédito tramo
el nunca hollado borde de la vida

claro que hay otros
suicidas entrañables
que se llevan / en préstamo
un trozo de la nuestra
acaso para irla acostumbrando
a bien morir

YESTERDAY Y MAÑANA

el tiempo me desgarra por sus dos puntas

CÉSAR FERNÁNDEZ MORENO

DIGAMOS

1.
Ayer fue yesterday
para buenos colonos
mas por fortuna nuestro
mañana no es tomorrow

2.
Tengo un mañana que es mío
y un mañana que es de todos
el mío acaba mañana
pero sobrevive el otro

BEATLES DIXERUNT

Yesterday
all my troubles seemed so far away
now it looks as though they're here to stay

se quedan años en ceniza
se quedan rostros en penumbra
y no es mi pájaro el que vuela
y no es mi infancia la que duda

se quedan pálidas esquinas
con los amantes y sus lenguas
y no es mi otoño el que se apaga
y no es mi sueño el que recela

I'm not half the man I used to be
there's a shadow hanging over me

no soy ni intento ser el mismo
sin los estigmas que me salvan
sin los abrazos que no pude
sin los hermanos que me faltan

no quiero ser el rescatado
de ese pasado sin futuro
no se entra gratis en el odio
ni en el perdón ni en el orgullo

now I need a place to hide away
oh I believe in yesterday

pero no quiero disolverme
y a mi pesar sentirme nadie
si ahora creo en ese ayer
es sólo para despojarme

ayer de pobres emboscadas
ayer espeso como selva
aprendí todo en el ayer
para que el mismo ayer no vuelva

YESTERDAY

Palabra airosa brillante sonora
regada por añoranzas y quimeras
con penurias y júbilos de telón mágico
ésos de neblinosa transparencia
que a duras penas dejan entrever
los simulacros de lascivia
la fosforescente domesticable aurora
la noche atravesada por antorchas

yesterday las gaviotas volaban en inglés
los búhos meditaban en inglés
las muchachas besaban en inglés
glenn abofeteaba en inglés a rita
humphrey y katharine
cruzaban áfrica en inglés

la verdad es que yesterday nos desaloja
tierna o despóticamente del ayer

yesterday las nieblas eran sólo·londinenses
los rascacielos / la seña de manhattan
los terremotos venían de san francisco
y los puentes / de waterloo o de brooklyn
lás ballenas eran turbiamente blancas
los molinos quedaban junto al floss

yesterday / el prodigio al alcance de todos
o también una alfombra de terciopelo
negro / durante varios lustros preparatorios
hasta que natalie kalmus aportó su paleta

yesterday sabíamos que el mal
era frívolo y satánico y que el bien era frívolo
pero alcanzable

B 5141

Sheffield Cleaners

958 West Webster   Chicago, Illinois

(773) 477-5879

"Not Responsible For Goods After 30 Days"

NAME ANGELA

ADDRESS

DATE 7/31	M	T	W	TH	F	S	HANGER
No Starch	Light Starch		Med. Starch		Hvy. Starch		BOX
	MARK						
QUANTITY							

Quantity	Item		
2	Shirts, Reg.		
	Shirts, Sport		
	Pants		
	Blouse		
		TOTAL	

y si no que lo digan hombrecitos de abajo
que llegaban a la gloria y nos miraban
desde nuestros castillos en el aire

conservo a qué negarlo
buen recuerdo de yesterday
después de todo margaret sullavan
fue mi primer amor (saltó a la fama
precisamente en only yesterday)
me llevaba nueve años pero no se notaba
y era arduo disputársela a james stewart
que me llevaba doce

en realidad yesterday
era sobre todo un sueño para otros
algo así como la espuma de la sangre
la esperanza traducida y con erratas
el caudal de vísperas ajenas
que a menudo confundíamos con las propias

ayer / en cambio
es palabra doméstica y cortita
mera convención para entender
el pasado pisado

es claro que sus cuatro letras
sin laberintos ni acicates
no son equiparables
a las nueve de yesterday

su brevedad carece de puentes colgantes
de emotivos llantos con cuentalágrimas
de vigilias bordadas con alucinaciones
de nupcias sensitivas y financieras

ayer es un roedor infinito y sin laureles
saldo de presentimientos y de hogueras
túnel de expiaciones y postrimerías

ayer no colecciona éxtasis ni delirios
pero hace acopio de cicatrices y entusiasmos

de alegrías de segunda mano
de tristezas que dan la pauta
de esquirlas de lo real

tal vez su cándida ventaja sea
que para ayer no precisamos
traductores como para yesterday

y otra más
que como está sembrado
de días y noches innegables
no provoca espejismos ni confabulaciones

por otra parte ayer no exige desertores
ni del orgullo ni de la vergüenza
ni del sacrificio ni de las transgresiones

quizá por eso los ayeres completos
son una enciclopedia del causante
y cada ayer es una rama
de la arborescente identidad

nadie emigra ni desaparece del ayer
allí están estamos todos
los cuerpos y sus sombras
el misterio y su clave
la pared y su hiedra
el farallón y la resaca
el rumbo y la deriva
la calma y el espanto

yesterday / pasado sin fronteras
ayer es la frontera
yesterday / el mar que fosforesce
ayer / el río que nos trae

yesterday / las galas de la historia
ayer / la memoria corriente
yesterday / paraíso de alquiler
ayer / múltiplo de uno

LOS AÑOS

Los años se vinieron alevosos
compactos / degradantes
no reservan sorpresas
sino confirmaciones

después de todo a quién le importan
la noria de las estaciones
las tenues campanadas
los barrancos en flor

la piel es lo que importa
y tiene ultrajes
el mar es lo que importa
y simplemente ahoga

los años se vinieron
y no se van
se quedan como troncos
pesan como desdichas

yo me hago el sordo / ignoro
sus truenos y mi pulso
miro hacia el horizonte
como si le tocara florecer

MAÑANA

Bendito seas río de mañana
futuro en que te abismas
vienen contigo esquirlas de infinito
aunque más breves cada día

y también el hechizo inquebrantable
la nostalgia a construir / la sobrevida
el vuelo de los pájaros que saben
la calma en que descansa la utopía

si me concentro no te veo
ni sé lo que anticipas
si me recluyo en mis escombros
nadie me librará de tanta ruina

pero si abro mis inviernos
de par en par al verde de tu orilla
aprenderé tal vez con las distancias
que separan tu fronda de la mía

bendito seas surco de mañana
con tu repetición de la fatiga /
desde una mano ancha y sembradora
te llegará el azar de la semilla

mañana de candor / bendito seas
futuro / por llegar a la deriva
sin preces ni condenas
ni justos a la vuelta de la esquina

estás aquí futuro / hay que ampararte
los emboscados en la amanecida
quieren acribillarte desde el miedo
dejarte sin enigmas

bendito seas leño del augurio
mañana / al convertirse en tu ceniza
aceptarás las cifras de la muerte
como una condición de la armonía

ESTE ARROYO NO VUELVE

Este arroyo no vuelve
no se detiene nunca
pero en tanto que sigue
lentamente fabula

descubre peces rojos
improvisa riberas
imagina los sauces
las calandrias inventa

y si no vuelve es porque
sueña hacia donde va
a meterse en un río
y con él en el mar

ESCONDIDO Y LEJOS

¿Qué te ha dado el pasado?
¿la fuga que te mira en el espejo?
¿aquel fantasma que te desbarata?
¿la sombra de tus nubes? ¿la intemperie?

rápido como el río ha transcurrido
pero ocurre que el río no envejece
pasa con sus crujientes y sus ramas
sus duendes y su cielo giratorio

quedaron armoniosos pero inmóviles
tu mayo tu piedad tus artilugios
todo el prodigio se volvió espesura
y la espesura se llenó de tedio

ya no llueve en tu olvido ni siquiera
en tu pobre redoma o en las tapias
aunque el pasado está escondido y lejos
no tienes más remedio que mirarlo

SOL DE OCTUBRE

Este domingo amaneció sin viento
y en el parque de octubre poco a poco
los veteranos llegan a los bancos
que el sol y la costumbre les reservan

con sus quebrantos que ya son olvido
callados / con los ojos en la fuente
la soledad es un cántaro roto
y el pasado un abismo de palabras

las palomas se acercan y los miran
sin ilusión porque no son los viejos
sino las viejas las que les reparten
migas de pan y granitos de trigo

las palomas conocen quién es quién

cada viejo mantiene sin nombrarla
su vasta colección de primaveras
pero a esta altura sólo rememora
los inviernos hostiles a su cuerpo

ni siquiera con este sol novicio
posado en sus rodillas oxidadas
disfruta la estación que no lo alude
y se conforma con los años lázaros

quedaron sus octubres tan atrás
tan lejos tan aislados que no hay modo
de que se arrimen a esta primavera
donde tal vez se cierre el almanaque

las palomas conocen quién es quién

BOB DYLAN DIXIT

Now the moon is almost hidden
The stars are beginning to hide
The fortune telling lady
Has even taken all her things inside
All except for Cain and Abel
And the hunchback of Notre Dame
Everybody is making love
Or else expecting in rain
And the good samaritan he's dressing
He's getting ready for the show
He's going to the carnival
Tonight on Desolation Row

La araña de la inquina sabe tejer su trama
es de plomo la hostia de la consternación
ladran los profetas de la sevicia
el suicida pueril emprende el vuelo
no hay quien auxilie al buen samaritano
bajaron las acciones del amor
la impunidad es una droga dura
nuestros mejores lastres son los universales
la muerte nos enseña el único alfabeto
la memoria se vuelve clandestina
el hambre no consigue atravesar la bruma
en la empinada cuesta de la desolación

SUCEDE

Si me preguntáis en dónde he estado
debo decir: "Sucede".

PABLO NERUDA

BEBER OUZO EN ATENAS

Beber ouzo
esa extraña libación que provoca alegrías y desorientaciones
      varias
es algo indispensable para amar a atenea ya que sólo así se la
      puede imaginar surgiendo de la frente de un dios
      recién hachado

beber ouzo en atenas
permite ver casi todo en duplicado
o por lo menos distinguir dos partenones uno el que todavía luce
      mutilado en la acrópolis
y otro el que lord elgin se llevó bien embalado a londres en mil
      ochocientos dos

beber ouzo en atenas
es por ejemplo encaminarse hacia el odeón y desembocar sin
      embargo en el pireo
o descubrir que el suicidio de demóstenes es la prolongación del
      suicidio de sócrates

beber ouzo en atenas
es hallar la salida del laberinto sin recurrir al enamorado hilo de
      ariadna
o masticar pasas de corinto creyendo que son ciruelas de california

beber ouzo en atenas
es creer que el camarero es menelao y pasarle el brazo sobre los
      hombros para consolarlo por el rapto de helena
y es también soñar con un bajorrelieve votivo que muestre a
      asclepio entrando en epiaduro y a papandreu
      saliendo de la otan

MARGINALIA

Qué incómodo es venir
de un país que no tiene
desfiladero de las termópilas
ni machu picchu
ni roca tarpeya
ni popocatépetl
ni galleria degli uffizi
ni gran muralla china
ni place de vosges
ni barrio gótico
ni palenque
ni paseo del prater
ni columnata de bernini
ni cañón del colorado
ni pirámide de keops
ni rijksmuseum
ni saint chapelle
ni popol vuh
ni venus del espejo
ni cuevas de altamira
ni philosophenweg
ni tenochtitlán
ni manekken pis
ni tal mahal
diríase que es incómodo
no por complejo de inferioridad
sino porque uno realmente no sabe
si está viviendo
antes del prólogo
o después del epílogo
y tampoco intuye
si es peor o mejor

LOS POETAS

Los poetas se encuentran en congresos
en saraos en cárceles en las antologías
unos cosechan loas en manuales de fama
otros son asediados por la casta censura

los poetas se abrazan en los aeropuertos
y sus tropos encienden la alarma en las aduanas
a menudo bostezan en recitales de otros
y asumen que en el propio bostecen los amigos

los poetas se instalan en las ferias anuales
y estampan codo a codo sus firmas ilegibles
y al concluir la faena les complace de veras
que se acerquen los jóvenes confianzudos y tímidos

los poetas se encuentran en simposios
por la paz pero nunca la consiguen
unos reciben premios / otros palos de ciego
son una minoría casual y variopinta

sus mejores hallazgos son harto discutibles
estudios inclementes revelan sus andamios
los analistas buscan variantes / los poetas
suelen dejar alguna para animar el corro

los poetas frecuentan boliches y museos
tienen pocas respuestas pero muchas preguntas
frugales o soberbios / a su modo sociables
a veces se enamoran de musas increíbles

beben discuten callan argumentan valoran
pero cuando al final del día se recogen
saben que la poesía llegará / si es que llega
siempre que estén a solas con su cuerpo y su alma

PEREGRINACIÓN A MACHADO

Baeza es un instante pendular
cansado o floreciente
según sople la historia

con sus palacios a la espera
sus adoquines resabiados
sus lienzos de muralla
su alcázar que no está
sus ruinas que predican
su custodia que gira y centellea
sus casas blancas
y su sol en ocres

mas no vine a baeza a ver baeza
sino a encontrar a don antonio
que estuvo por aquí
desolado y a solas
la muerte adolescente
de leonor en sus manos
y en su mirada y en su sombra

tengo que imaginarlo
aterido en el aula
junto al brasero las botas raídas
dictando lamartine y víctor hugo
ya que tan sólo era
profesor de francés
uno de tantos

tengo que descubrirlo en las callejas
que ciñen la obstinada catedral
montada en la mezquita

y suponer que estamos en invierno
pues no era machado un poeta de estío

que federico estuvo aquí
dicen y dicen que le dijo
a mí me gustan
la poesía y la música
y tocó al piano algo de falla

pero a machado le atraía
más la templada encina negra
que ya murió
camino de úbeda

tampoco existe la farmacia
(en su lugar hay una tienda)
donde charlaban y tosían
los modestísimos notables
y allí llegaba don antonio
con su silencio y lo sentaba
junto a la estufa

los madroños las cabras
las lechuzas entraron en sus versos
mientras baeza mantenía
los gavilanes en su nido real

la tarde se recoge a las colinas

el poeta no acude
sin embargo lo escolto
en su ritual hasta el paseo
de la muralla
a ver una vez más los olivares
y las lengüetas del guadalquivir
y la sierra de mágica que es mágica

y junto a mí sin verme
y junto a él sin verlo

entramos don antonio y yo en la niebla
medidos por el rojo sol muriente
él como el caminante de sus sueños
yo como un peregrino de los suyos

Baeza, agosto 1987.

LA VUELTA DE MAMBRÚ

Por entonces Mambrú volverá de la guerra

GERARDO DIEGO

Cuando mambrú se fue a la guerra
llevaba una almohadilla y un tirabuzón
la almohadilla para descansar después de las batallas
y el tirabuzón para descorchar las efímeras victorias

también llevaba un paraguas contra venablos aguaceros y
                palabrotas
un anillo de oro para la suerte y contra los orzuelos
y un llavero con la llave de su más íntimo desván

como a menudo le resultaba insoportable la ausencia de la señora
                de mambrú
llevaba un ejemplar del cantar de los cantares
y a fin de sobrellevar los veranillos de san juan
un abanico persa y otro griego

llevaba una recela de sangría para sobornar al cándido enemigo
y para el caso de que éste no fuese sobornable
llevaba un arcabuz y un verduguillo

asimismo unas botas de potro que rara vez usaba
ya que siempre le había gustado caminar descalzo
y un caleidoscopio artesanal
debido probablemente a que marey edison y lumière no habían
                nacido aún para inventar el cine

llevaba por último un escudo de arpillera porque los de hierro
                pesaban mucho

y dos o tres principios fundamentales mezclados con la caspa bajo
    el morrión

nunca se supo cómo le fue a mambrú en la guerra
ni cuántas semanas o siglos se demoró en ella

lo cierto es que no volvió para la pascua ni para navidad
por el contrario transcurrieron centenares de pascuas y navidades
    sin que volviera o enviara noticias

nadie se acordaba de él ni de su perra
nadie cantaba ya la canción que en su tiempo era un hit

y sin embargo fue en medio de esa amnesia
que regresó en un vuelo regular de iberia
exactamente el miércoles pasado
tan rozagante que nadie osó atribuirle más de un siglo y medio
tan lozano que parecía el chozno de mambrú
por supuesto ante retorno tan insólito
hubo una conferencia de prensa en el abarrotado salón vip

todos quisieron conocer
las novedades que traía
mambrú después de tanta guerra

cuántas heridas
cuántos grilletes
cuántos casus belli
cuántos pillajes
y zafarranchos de combate

cuántas invasiones
cuántas ergástulas
cuántas amnistías
cuántas emboscadas
y recompensas indebidas

cuántas cicatrices
cuánta melancolía
cuántos cabestrillos

cuántas hazañas
y rendiciones incondicionales

cuánto orgullo
cuántas lecciones
cuántos laureles
cuántas medallas
y cruces de chafalonía

ante el asedio de micrófonos
que diecinueve hombres de prensa
blandían como cachiporras
mambrú
oprimido pero afable
sólo alcanzó a decir
señores
no sé de qué me están hablando

traje una brisa con arpegios
una paciencia que es un río
una memoria de cristal
un ruiseñor dos ruiseñoras

traje una flecha de arco iris
y un túnel pródigo de ecos
tres rayos tímidos y una
sonata para grillo y piano
traje un lorito tartamudo
y una canilla que no tose

traje un teléfono del sueño
y un aparejo para náufragos
traje este traje y otro más
y un faro que baja los párpados
traje un limón contra la muerte
y muchas ganas de vivir

fue entonces que nació la calma
y hubo un silencio transparente

un necio adujo que las pilas
se hallaban húmedas de llanto
y que por eso los micrófonos
estaban sordos y perplejos

poquito a poco aquel asedio
se fue estrechando en un abrazo

y mambrú viejo y joven y único
sintió por fin que estaba en casa

LÍMITES

El uruguay es un país que tiene
forma de corazón
de puño o de talega
y dicen que sus bordes
no siempre voluntarios
son por el norte
el río cuareim
arroyos de la invernada
y del maneco
la escuela de chicago
disneylandia
singing in the rain
y el fondo monetario
con su cuchilla grande
también la de santa ana
y el tío tom y harry kissinger
beat generation y marines
el arroyo san luis y el de la mina
y aquí y allá como relleno fácil
las consabidas líneas divisorias

por el este
casi indefenso el río yaguarón/jaguarâo
menos mal que enseguida comparecen
os sertôes y el aleijadinho
maracaná y bossa nova
la laguna de merim y chico buarque
la comezón de las favelas
los buenos modos de itamaraty
y el san miguel y el chuy
la tienda de samuel

por el oeste
de arribabajo el río uruguay
y a prudente distancia
don mariano moreno
gardel en chacarita y en volver
cortázar y el torito suárez
café para siempre de los angelitos
carta de walsh al general videla
son treinta mil los desaparecidos
setenta balcones y ninguna flor

y por último el sur
donde están por supuesto
el río grande como mar enano
y el infinito océano voraz
y sin embargo
ya que montevideo es la capital
más austral del planeta
y el uruguay es un país
más de puño o corazón que de talega
digamos que en el sur
también está esperando
el tercer (nuestro) mundo
subdesarrollado y dependiente en todo
menos (deo gratias) en el buen amor
de modo que este sur
no es sólo un cardinal
o una frontera fija
o linde histórico
o huella colonial
también es/somos nosotros
hombres mujeres árboles praderas
naranjas niños esperanzas puentes
todos
(de norte a sur y de este a oeste)
el sur desafinado
el sur de pueblo
el sur de descifrarse
el sur futuro

CIUDAD HUELLA

CIUDAD HUELLA

Otro regreso aguarda
las nubes pasan crecen
mi verano es tu invierno
y viceversa

pienso en las novedades
que encontré hace dos años
y que ahora serán
cosa sabida

a fines de setiembre
estaré en tus olores
ciudad viento
respiraré tu noche
ciudad luna
tocaré tus heridas
ciudad sueño

pienso en tus puertas y balcones
duchos en caras nuevas
tu cantero de viles
tu follaje de justos

dentro de algunas horas
me acercaré a tus muertos
ciudad muerta
latiré en tus latidos
ciudad viva
pisaré mis pisadas
ciudad huella

LEJOS DEL MAR

Cuando despierto y estoy lejos
del mar que no me necesita
algo me falta en el futuro
y en la ventana y en el rostro

yo sé que el mar es tan eterno
como la muerte

el mar de olvido es como un tálamo
un prado inmóvil o batiente
un cieloabajo de olasnubes
un borrador del infinito

yo sé que el mar es tan avaro
como el silencio

cuando me duermo y estoy lejos
de las gaviotas de salmuera
sueño que el mar me abraza turbio
y en sus entrañas me abandona

yo sé que el mar es la respuesta
a nadie   a nada

TUTELAS

Soy observado
cuando abro la ventana y el sol vuelve
y pongo torpemente al día
mis ojos de la noche con la calle de hoy

cuando voy a la esquina
a comprar la tristeza del periódico
y espero distraído la luz verde
soy observado

cuando me encuentro en el café
con el amigo o los amigos o la amiga
y comentamos todo a diario abierto
soy observado atentamente

cuando miro la palma de mi mano
o despejo la niebla de mis lentes
o llamo inútilmente por teléfono
soy observado

no por mi trémula conciencia
ni por la sed de una memoria
ni por un prójimo llamado dios
ni por el búho del prejuicio

no como un sueño o un pecado
no como un mar o una frontera
soy observado atentamente
tan sólo como una costumbre

MALVENIDA

Aunque te prendan
en el pecho
medallas y su prez
tu culpa se demora
en algún ofertorio
y falta sin aviso
al agasajo

entre el follaje
o extramuros
las víctimas errantes
balbucean
con los ojos abiertos

tu culpa
no es disculpa
las velas que apagaste
volvieron a encenderse
y a duras penas
sirven
para tu malvenida

entre el follaje
o extramuros
las víctimas errantes
no consiguen
borrarte de sus muertes

MÁSCARA

Ahora me doy cuenta
el carnaval no te concierne
en cualquier mes o clima
buscas tu máscara y la usas

el carnaval es de los otros
tiene tu máscara un realce
privado / sólo tuyo

el carnaval delirio ajeno
dura unos días
llega y muere

tu máscara es en cambio
tu atributo invariable
tu universal carencia
tu larga duración

¿contra quién?
¿para quién?
¿en cualquier mes o clima?

tus labios son los de tu máscara
tus ojos son los de tu máscara
¿serás tu máscara?
serás / qué duda cabe

pero tu rostro no te olvida

COMO CANTOS RODADOS

Aunque cueste creerlo
la boca que convoca hacia el perdón
del asesino insustituible
es la misma que dijo
esa misma
la misma

a comenzar entonces
desde cero

el río como mar deja cadáveres
pero son / oh prodigio / de medusas
también la paz nos lame
en modestas olitas
somos felices como cantos rodados

en cada olvido está el recuerdo
en cada escombro brilla el sol
en cada vaina está la espada

no nos queda otra opción
que ser felices

las de los árboles que pierden
las del pregón y el almanaque
allá se van las hojas muertas
pero la boca que convoca
nos ha ordenado ser felices
y que los muertos díscolos
en su lugar
descansen

CAVILACIÓN DEL CENTINELA

Dicen predicen notifican
que esta quietud del aire
no consiente el olvido

que en cualquier bruma o duelo
puede avanzar el odio
hollando las cosechas calcinadas

miro a mansalva
cerca y lejos
harto de miedos y arrebatos
trato de avizorar en la apariencia

aunque imagine pasos torpes
yo como un duende un emboscado
sigo los rastros cardinales
y nadie viene
y sé que vienen

agazapados en la niebla
en la cautela en el silencio
con las bengalas apagadas
los sé contiguos

¿atacarán? yo como siempre
patrullo a solas
sin embargo
mi salvaguarda sólo vale
si es la de todos

VIÑETAS DE MI VIÑEDO

CADA NOCHE

Cada noche es una noche
distinta de las demás
uno se duerme y sin más
del sueño emerge el reproche
cada noche es un derroche
de goce o de desconsuelo
se vuela en absurdo vuelo
pero si soñando a tientas
uno empieza a sacar cuentas
allí comienza el desvelo

LA FE

Culpable y convicto ¿qué
te pasa? ¿se fue el pasado
y resulta que has quebrado
las franquicias de la fe?
¿quieres saber el porqué?
mira / la fe es un azar
que tras mucho mendigar
viene o se va sin aviso
deja pues el paraíso
y húndete solo en el mar

EL OLVIDO

El olvido no es victoria
sobre el mal ni sobre nada
y si es la forma velada
de burlarse de la historia
para eso está la memoria
que se abre de par en par
en busca de algún lugar
que devuelva lo perdido
no olvida el que finge olvido
sino el que puede olvidar

CARTA A UN JOVEN POETA

Me gusta que te sientas parricida
nos hace bien a todos

a vos
porque es una constancia
de que existís
enhorabuena

y a nosotros también
porque es un signo
de que estamos
o estuvimos
aquí

en cambio qué tristeza
sería para todos
que te sintieras
huérfano

CONFIDENCIAL

Fueron jóvenes los viejos
pero la vida se ha ido
desgranando en el espejo

y serán viejos los jóvenes
pero no lo divulguemos
que hasta las paredes oyen

HISTORIA DE UNA PERA (*)

a Clarina Vicens

Esta pera de pájaros pintados
como el río de nuestro nacimiento
encomienda sus huéspedes al viento
y se atiene a los obvios resultados

los pájaros / ni cortos ni sagrados
transfiguran la pera en su alimento
y uno solo regresa sin aliento
a pagar con semilla sus bocados

clarina / más confiada que paciente
se queda del nuevo árbol a la espera
hasta que éste se eleva confidente

y le pide en secreto / a su manera
que reanude ese ciclo permanente
y colme de otros pájaros la pera

(*) *Este soneto alude a* Historia de una Pera, *carpeta de pin-*
turas de Clarina Vicens.

VIÑETAS DE MI VIÑEDO

1
Todo sigue en su sitio
lo de arriba allá arriba
lo de abajo aquí abajo
ay qué monotonía

2
La nieve pone fundas
blancas sobre las blancas
blanquísimas angustias

3
Si a dios amas sobre todo
prescinde de que él te ame
no pidas peras al olmo

4
Señor si tú me creyeras
cuando digo que no existes
seguro que sonreirías
flotando en tu nada triste

5
Lo que quieren los suicidas
es confiscarle a la muerte
algunos palmos de vida

6
La muerte llegó gratuita
a eso de la medianoche
no son horas de visita

7
Humor de montevideo /
al lado del camposanto
una empresa que fabrica
papeles parafinados

8
Lo mejor del carnaval
es que te pones tu rostro
y nadie lo va a notar

9
Agravios dan escozores
pero al cabo de un semestre
me aburro de mis rencores

10
El sueño que se repite
nos da ganas de soñar
para saber cómo sigue

11
En menos que canta un gallo
pasó de siniestro a diestro
mejor es no meneallo

12
Siempre me miro en tus ojos
y si en mis ojos te miras
todo queda entre nosotros

13
Cada vez que te enamores
no expliques a nadie nada
deja que el amor te invada
sin entrar en pormenores

14
Privilegios de la cama
en ella se nace y muere
se sufre se sueña y ama

15
Se terminó el asedio
del invierno a destajo
del reló y el trabajo

ya no tengo remedio
tan sólo tedio

16
Usted señor transeúnte
y forastero quizá
si no sabe a dónde va
a mí no me lo pregunte

17
Afable se hace mi voz
con el tira que me espía
buenas noches nos dé dios
mañana será otro día

18
En el todo y el detalle
en las vueltas del camino
y en las sombras de la calle
¿quién que es / no es clandestino?

19
Se le corrió la peluca
y por eso ya no mira
con los ojos de la nuca

20
Aquí te dejo las rimas
aprende a bien colocarlas
después si quieres las tiras

21
El llanto más doloroso
es el que no tiene lágrimas
por más que uno se emborrache
de tragarlas y tragarlas

22
Capricho del fuero interno
caso de fuerza mayor
la primavera es mejor
mirada desde el invierno

23
Mi verano no fue eterno
ni duradero siquiera
y además mi primavera
otoñó con tanto invierno

24
La floresta la manigua
y la arboleda son verdes
porque son ecologistas

25
Usaba el profe quevedos
en la nariz respingona
y sin embargo enseñaba
las soledades de góngora

IL CUORE

WHEN YOU ARE SMILING

When you are smiling
ocurre que tu sonrisa es la sobreviviente
la estela que en ti dejó el futuro
la memoria del horror y la esperanza
la huella de tus pasos en el mar
el sabor de la piel y su tristeza

when you are smiling
the whole world
que también vela por su amargura
smiles with you

IL CUORE

Ya nadie graba
en las paredes
en los troncos
   luis y maría
      raquel y carlos
         marta y alfonso
junto a dos corazones
enlazados

ahora las parejas
leen esas vetustas
incómodas ternuras
en las paredes
en los troncos
y comentan
           qué ñoños
antes de separarse
para siempre

EPIGRAMA

Como esplende un sesentón cuando logra vencer por dos pulgadas
al bisoño que intentó conseguir el único asiento
libre
como bienquiere el contribuyente silvestre a la cajera número
cuatro en el momento de enfrentarla tras dos
horas de cola
como acoge el deudor la noticia de que ha fallecido su acreedor
más implacable
como suele compungirse la buena gente si el locutor no advierte a
tiempo la traicionera errata que lo acecha en el
cable llegado a última hora
como el prójimo que permanece enjabonado bajo la ducha a
causa de un corte imprevisto y al cabo de tres
minutos se solaza al advertir que el agua vuelve
a manar sin usura
como el chofer que se reconcilia con la vida tras esquivar
limpiamente un desbocado camión con tres
containers
como el adolescente que ama los decibeles más que a sí mismo
así   trifena mía   aproximadamente así
suelo quererte

MEDIOS DE COMUNICACIÓN

No es preciso que sea mensajera /
la paloma sencilla en tu ventana
te informa que el dolor
empieza a columpiarse en el olvido

y llego desde mí para decirte
que están el río el girasol la estrella
rodando sin apuro /
el futuro se acerca a conocerte

ya lo sabés / sin tropos ni bengalas
la traducción mejor es boca a boca
en el beso bilingüe
van circulando dulces las noticias

INFORME SOBRE CARICIAS

1
La caricia es un lenguaje
si tus caricias me hablan
no quisiera que se callen

2
La caricia no es la copia
de otra caricia lejana
es una nueva versión
casi siempre mejorada

3
Es la fiesta de la piel
la caricia mientras dura
y cuando se aleja deja
sin amparo a la lujuria

4
Las caricias de los sueños
que son prodigio y encanto
adolecen de un defecto
no tienen tacto

5
Como aventura y enigma
la caricia empieza antes
de convertirse en caricia

6
Es claro que lo mejor
no es la caricia en sí misma
sino su continuación

CADA CIUDAD PUEDE SER OTRA

los amorosos son los que abandonan,
son los que cambian, los que olvidan.

JAIME SABINES

Cada ciudad puede ser otra
cuando el amor la transfigura
cada ciudad puede ser tantas
como amorosos la recorren

el amor pasa por los parques
casi sin verlos pero amándolos
entre la fiesta de los pájaros
y la homilía de los pinos

cada ciudad puede ser otra
cuando el amor pinta los muros
y de los rostros que atardecen
uno es el rostro del amor

el amor viene y va y regresa
y la ciudad es el testigo
de sus abrazos y crepúsculos
de sus bonanzas y aguaceros

y si el amor se va y no vuelve
la ciudad carga con su otoño
ya que le quedan sólo el duelo
y las estatuas del amor

94

ÍNDICE

TODO EL TIEMPO

ENTRESUEÑOS

YESTERDAY Y MAÑANA

SUCEDE

CIUDAD HUELLA

VIÑETAS DE MI VIÑEDO

IL CUORE

BIBLIOTECA MARIO BENEDETTI
EN BOLSILLO
◆
Su obra al alcance de todos

Mario Benedetti
Antología poética

Editorial Sudamericana

Mario Benedetti
Cotidianas

Editorial Sudamericana

Mario Benedetti
Despistes
y franquezas

Editorial Sudamericana

Mario Benedetti
La casa y el ladrillo

Editorial Sudamericana

poemas

novelas

cuentos

teatro

Mario Benedetti

Las soledades
de Babel

Editorial Sudamericana

BIBLIOTECA MARIO BENEDETTI

Mario Benedetti

Noción de patria
Próximo prójimo

Editorial Sudamericana

BIBLIOTECA MARIO BENEDETTI

Mario Benedetti

Pedro y el capitán

Editorial Sudamericana

BIBLIOTECA MARIO BENEDETTI

Mario Benedetti

Poemas de la oficina
Poemas del hoyporhoy

Editorial Sudamericana

BIBLIOTECA MARIO BENEDETTI

Mario Benedetti

El amor, las mujeres
y la vida

Editorial Sudamericana

Mario Benedetti

Perplejidades
de fin de siglo

Editorial Sudamericana

Mario Benedetti

La tregua

Editorial Sudamericana

Mario Benedetti

Rincón de Haikus

Editorial Sudamericana

Mario Benedetti

Quién de nosotros

Editorial Sudamericana

Mario Benedetti

Esta mañana
y otros cuentos

Editorial Sudamericana

poemas

novelas

cuentos

teatro

Mario Benedetti

Yesterday y mañana

Editorial Sudamericana

Mario Benedetti

Inventario dos

Editorial Sudamericana

Mario Benedetti

Canciones
del más acá

Editorial Sudamericana

Mario Benedetti

Con y sin nostalgia

Editorial Sudamericana

Composición de originales
G&A

Esta edición de 9.000 ejemplares
se terminó de imprimir el mes
de agosto de 2000 en Rotoplec,
Energía, 53 Sant Andreu de la Barca (Barcelona)